MW00436464

Zhōngguāncūn gùshi zhī èr

中关村 故事之二

The Second Story from Zhongguancun

汉语风 中文分级 **Chinese Breeze**
系列读物 **Graded Reader Series**

第2级
500词级
Level 2
500 Word Level

diànnǎo gōng sī de mì mì
电脑公司的秘密
Secrets of a Computer Company

（第二版）

主 编 刘月华（Yuehua Liu） 储诚志（Chengzhi Chu）
原 创 温金海（Jinhai Wen）

北京大学出版社
PEKING UNIVERSITY PRESS

图书在版编目(CIP)数据

电脑公司的秘密/刘月华,储诚志主编. —2版. —北京:北京大学出版社,2017.5

(汉语风中文分级系列读物)

ISBN 978-7-301-28253-3

Ⅰ.①电… Ⅱ.①刘… ②储… Ⅲ.①汉语—对外汉语教学—语言读物 Ⅳ.①H195.5

中国版本图书馆CIP数据核字(2017)第085228号

书　　　名	电脑公司的秘密(第二版)
著作责任者	刘月华　储诚志　主编
	温金海　原　创
责任编辑	李　凌
标准书号	ISBN 978-7-301-28253-3
出版发行	北京大学出版社
地　　　址	北京市海淀区成府路205号　100871
网　　　址	http://www.pup.cn　　新浪微博:@北京大学出版社
电子信箱	zpup@pup.cn
电　　　话	邮购部 62752015　发行部 62750672　编辑部 62753027
印刷者	北京大学印刷厂
经销者	新华书店
	850毫米×1168毫米　32开本　2.75印张　43千字
	2009年1月第1版
	2017年5月第2版　2019年9月第2次印刷
定　　　价	20.00元

刘月华

毕业于北京大学中文系。原为北京语言学院教授，1989年赴美，先后在卫斯理学院、麻省理工学院、哈佛大学教授中文。主要从事现代汉语语法，特别是对外汉语教学语法研究。近年编写了多部对外汉语教材。主要著作有《实用现代汉语语法》（合作）、《趋向补语通释》《汉语语法论集》等，对外汉语教材有《中文听说读写》（主编）、《走进中国百姓生活——中高级汉语视听说教程》（合作）等。

储诚志

夏威夷大学博士，美国中文教师学会前任会长，加州大学戴维斯分校中文部主任，语言学系博士生导师。兼任多所大学的客座教授或特聘教授，多家学术期刊编委。曾在北京语言大学和斯坦福大学任教多年。

温金海

1984年毕业于厦门大学中文系。现居北京。中国作家协会会员，中国作家协会第六次、第七次全国代表大会代表。主要作品有长篇小说《闯黑道》《中关村进行曲》《封杀》等，散文集《爱心永存》，纪实文学《谁来撑起明天的中国》《让生活充满金色阳光》等。

Yuehua Liu

A graduate of the Chinese Department of Peking University, Yuehua Liu was Professor in Chinese at the Beijing Language and Culture University. In 1989, she continued her professional career in the United States and had taught Chinese at Wellesley College, MIT, and Harvard University for many years. Her research concentrated on modern Chinese grammar, especially grammar for teaching Chinese as a foreign language. Her major publications include *Practical Modern Chinese Grammar* (co-author), *Comprehensive Studies of Chinese Directional Complements*, and *Writings on Chinese Grammar* as well as the Chinese textbook series *Integrated Chinese* (chief editor) and the audio-video textbook set *Learning Advanced Colloquial Chinese from TV* (co-author).

Chengzhi Chu

Chu is associate professor and coordinator of the Chinese Language Program at the University of California, Davis, where he also serves on the Graduate Faculty of Linguistics. He is the former president of the Chinese Language Teachers Association, USA, and guest professor or honorable professor of several other universities. Chu received his Ph.D. from the University of Hawaii. He had taught at the Beijing Language and Culture University and Stanford University for many years before joining UC Davis.

Jinhai Wen

Graduated from Xiamen University and now living in Beijing, Wen is a professional Chinese writer. He is a member of the All-China Writers Association and was selected as a representative of the 6th and 7th China's Writers Congresses. His publications include the novels *Get into the Underworld, Zhongguancun March* and *Force-out*, prose collection *Love Forever*, and reportages *Who will Prop up China Tomorrow* and *Let the Life be Full of Sunshine*.

前　言

　　学一种语言，只凭一套教科书，只靠课堂的时间，是远远不够的。因为记忆会不断地经受时间的冲刷，学过的会不断地遗忘。学外语的人，不是经常会因为记不住生词而苦恼吗？一个词学过了，很快就忘了，下次遇到了，只好查词典，这时你才知道已经学过。可是不久，你又遇到这个词，好像又是初次见面，你只好再查词典。查过之后，你会怨自己：脑子怎么这么差，这个词怎么老也记不住！其实，并不是你的脑子差，而是学过的东西时间久了，在你的脑子中变成了沉睡的记忆，要想不忘，就需要经常唤醒它，激活它。"汉语风"分级读物，就是为此而编写的。

　　为了"激活记忆"，学外语的人都有自己的一套办法。比如有的人做生词卡，有的人做生词本，经常翻看复习。还有肯下苦功夫的人，干脆背词典，从A部第一个词背到Z部最后一个词。这种做法也许精神可嘉，但是不仅过程痛苦，效果也不一定理想。"汉语风"分级读物，是专业作家专门为"汉语风"写作的，每一本读物不仅涵盖相应等级的全部词汇、语法现象，而且故事有趣，情节吸引人。它使你在享受阅读愉悦的同时，轻松地达到了温故知新的目的。如果你在学习汉语的过程中，经常以"汉语风"为伴，相信你不仅不会为忘记学过的词汇、语法而烦恼，还会逐渐培养出汉语语感，使汉语在你的头脑中牢牢生根。

　　"汉语风"的部分读物出版前曾在华盛顿大学(西雅图)、范德堡大学和加州大学戴维斯分校的六十多位学生中试用。感谢这三所大学的毕念平老师、刘宪民老师和魏苹老师的热心组织和学生们的积极参与。夏威夷大学的姚道中教授、加州大学戴维斯分校的李宇以及博士生Ann Kelleher和Nicole Richardson对部分读物的初稿提供了一些很好的编辑意见，在此一并表示感谢。

Foreword

When it comes to learning a foreign language, relying on a set of textbooks or spending time in the classroom is not nearly enough. Memory is eroded by time; you keep forgetting what you have learned. Haven't we all been frustrated by our inability to remember new vocabulary? You learn a word and quickly forget it, so next time when you come across it you have to look it up in a dictionary. Only then do you realize that you used to know it, and you start to blame yourself, "why am I so forgetful?" when in fact, it's not your shaky memory that's at fault, but the fact that unless you review constantly, what you've learned quickly becomes dormant. The *Chinese Breeze* graded series is designed specially to help you remember what you've learned.

Everyone learning a second language has his or her way of jogging his or her memory. For example, some people make index cards or vocabulary notebooks so as to thumb through them frequently. Some simply try to go through dictionaries and try to memorize all the vocabulary items from A to Z. This spirit is laudable, but it is a painful process, and the results are far from sure. *Chinese Breeze* is a series of graded readers purposely written by professional authors. Each reader not only incorporates all the vocabulary and grammar specific to the grade but also contains an interesting and absorbing plot. They enable you to refresh and reinforce your knowledge and at the same time have a pleasurable time with the story. If you make *Chinese Breeze* a constant companion in your studies of Chinese, you won't have to worry about forgetting your vocabulary and grammar. You will also develop your feel for the language and root it firmly in your mind.

Thanks are due to Nyan-ping Bi, Xianmin Liu, and Ping Wei for arranging more than sixty students to field-test several of the readers in the *Chinese Breeze* series. Professor Tao-chung Yao at the University of Hawaii. Ms. Yu Li and Ph.D. students Ann Kelleher and Nicole Richardson of UC Davis provided very good editorial suggestions. We thank our colleagues, students, and friends for their support and assistance.

主要人物和地方名称
Main Characters and Main Places

方新 Fāng Xīn

A man who started a company to develop and market a Chinese software program

小月 Xiǎoyuè

Fang Xin's wife

钱贵 Qián Guì

Owner of a small business that trades computer products

毛书明 Máo Shūmíng

A peddler selling pirated software CDs.

周进 Zhōu Jìn

A person who produces pirated software CDs

中关村 Zhōngguāncūn: The most famous science park in Beijing, known as China's Silicon Valley

新月电脑公司 Xīnyuè Diànnǎo Gōngsī: Xinyue (new moon) Computer Company

文中所有专有名词下面有下画线,比如:中关村

(All the proper nouns in the text are underlined, such as in 中关村)

目　录
Contents

1. 买软件[1]的人少了

方<u>新</u>在<u>中关村</u>开[2]电脑公司已经一年多了。

他的公司叫"<u>新月电脑公司</u>",就在<u>中关村</u>北边,离<u>北京大学</u>不远。公司不大,只有两间房子。人也不多,除了方<u>新</u>,还有三四个帮他卖东西的。<u>小月</u>还在以前的地方工作,但是周末的时候,她一有空儿就来公司,

5

1. 软件 ruǎnjiàn: software
2. 开(公司) kāi (gōngsī): start / run (a company)

帮方新做点儿事。方新非常爱小月，小月也非常爱方新，他们都希望公司一天比一天好。

开²电脑公司后，方新做的第一件事，就是卖他刚写完的软件¹，这个软件¹叫"新月中文"。这是一个中文软件¹，只要懂汉语的人都会用，用这种软件¹写东西，非常方便³。这两年，电脑比以前便宜了很多，以前一个电脑要两三万，现在只要一万多，最便宜的几千块就能买到。用电脑的人多了，买软件¹的人也就多了起来。很多人喜欢"新月中文"，新月电脑公司虽然小，但是来买软件¹的客人不少。

第一个月，方新卖了500个软件¹。

第二个月，卖了2,200个。

第三个月，他们卖了6,000多个！

方新高兴坏了⁴！

但是，没过多久⁵就出了问题。这天晚上，方新坐公共汽车回到家，看见小月在厨房里做饭，他走进厨房问

---

3. 方便 fāngbiàn: convenient
4. 高兴坏了 gāoxìng huài le: very happy, overjoyed
5. 没过多久 méi guò duōjiǔ: before long, soon

小月："你说，是不是买电脑的人多了，买软件[1]的人也应该越来越[6]多？"

小月说："电脑离不开[7]软件[1]，没有软件[1]，电脑就没办法用。买电脑的人多了，买软件[1]的人当然也应该更多了。" 5

方新说："最近电脑又便宜了不少，买电脑的人更多了。可是，到我们公司买软件[1]的人，比以前少了！比几个月前少了很多！" 10

"是吗？"小月把饭和菜拿到桌子上，说："不过，商店卖东西，不可能

6. 越来越 yuèláiyuè: more and more
7. 离不开 lí bu kāi: must have, cannot work without...

一天比一天卖得多。有时候卖得多一点儿，有时候卖得少一点儿，这没什么[8]啊。"

5 方新说："不，不是少了一点儿，是少了很多！上个月[9]，'新月中文'一共卖了 18,000 个。这个月，今天已经是 28 号了，但是到现在才卖了 12,000 个，少卖了 6,000 个！"

小月看着他，"少了这么多？怎么会这样？这么说[10]，真的有问题？"

10 "一定有问题！"方新说，"但我不清楚问题出在哪里……"

小月看见方新很不快乐，就说："先别谈工作上的事，天不早了，快吃饭吧。"

方新看见她做了很多菜，桌子上还放着酒，忙问："今天怎么做这么多菜？还要喝酒？"

小月笑了起来，"知道今天是什么日子[11]吗？"

20 方新看着她，"什么日子[11]？我不

---

8. 没什么 méi shénme: (there is) nothing unusual, (there is) not any
9. 上个月 shàng ge yuè: last month
10. 这么说 zhème shuō: saying this way, so, then
11. 日子 rìzi: day, date

知道啊。"

"看你忙的，把什么都忘了！今天是你的生日！所以我多做了几个菜，还买了点儿酒！"

方新高兴地说："对啊，今天是我的生日。这些天一直想着软件[1]的事，把生日都忘了！"

小月洗干净手，给方新开了一瓶酒，说："以前我不让你喝酒，今天过生日，你就喝点儿吧。喝点儿酒，吃点儿菜，吃完饭看看电视，听听音乐，休息一下。明天是周末，我跟你一起到公司看看。"她给自己拿了一杯[12]茶，说："来，生日快乐！"

这几天，因为软件[1]卖得少，方新一直不太高兴。听了小月的话，他不再想软件[1]的事。他们两人一起喝酒、吃菜，说些高兴的事，方新觉得很愉快，觉得在家里真舒服。吃完晚饭，又看了一会儿电视里的足球比赛，到十一点多才睡觉。

Want to check your understanding of this part?
Go to the questions on page 56.

12. 杯 bēi: cup

2. 见到了"老朋友"

第二天是星期天。早上，方新和小月很早就起床，吃完早饭，两个人马上坐公共汽车去中关村。刚到公司一会儿，公司里的几个人也来了。大家一起收拾桌子和电脑，新的一天的工作就开始了。

小月找了几张介绍中关村的报纸，看了一会儿，说："这个月中关村

卖出去的电脑比上个月[9]多了两万多个！为什么买'新月中文'的人会比以前少呢？是不是他们觉得'新月中文'不好用？不喜欢'新月中文'？买了更好用的软件[1]？"

方新说："我也在想这个问题。要是'新月中文'有什么地方不好用，跟大家的习惯不一样，我们应该做得更好一些。"

小月说："我们到卖电脑的地方看一看，听听大家怎么说。"

方新说："好，我们一起去。"

北京已经是冬天，天气很冷。不过中关村的电脑商店人还是很多，买东西的，卖东西的，大家都很忙，好像一点儿也不觉得冷。方新和小月走到一家公司外边，听到有人叫："喂，方新!"

方新回过头一看，有个男的骑着一辆新自行车过来，他穿着一件黑衣服，里面是一件白衬衫，看上去好像很贵。

"是钱贵！好久不见啊！"方新说。
钱贵可以说是方新的一个朋友，他也在中关村开[2]了一家电脑公司。方

5

10

15

20

25

7

新自己办新月电脑公司前，在他的公司工作过几个月。因为两个人想的不一样，方新就不在钱贵的公司工作了。他回到家里写新的软件¹，写完新软件¹，不久就自己开²了公司。新月电脑公司离钱贵的公司不远，但是他们都很忙，方新很少和钱贵见面，也不知道钱贵的公司现在办得怎么样了。

钱贵下了车，看见小月，就问："这是你爱人？真漂亮！"

方新说："是的，她叫小月。你有女朋友了吧？什么时候也让我们见一见啊。"

钱贵说："我还没有女朋友,我想等我有钱了再找。现在的女人都喜欢钱。男的有钱,她就喜欢。没钱,她就不喜欢。所以我先不找女朋友,只想怎么能多赚钱[13]。有了钱,漂亮的姑娘有的是[14]! 不用我找她,她自己就找我来了。你说是不是?"

方新笑了笑:"你的公司怎么样了?"

"这个……"钱贵看了看天,"还行吧。不过,中关村公司太多,办公司也难啊……我还有事,找个机会我请你们喝酒、唱歌、跳舞,一起快乐一下! 再见!"他不想多说公司的事,骑上自行车就走了。

方新和小月来到一家电脑商店,这是中关村最大的一家电脑商店。那里客人很多,都是来买电脑的,商店里人人都非常忙。

方新看见前面有个女的正在买电脑,就来到她旁边,问:"阿姨,你好,这个电脑你是买来自己用吗?"

那女的说:"是啊,我自己用。我

13. 赚钱 zhuàn qián: make money
14. 有的是 yǒudeshì: have more than enough

9

在一个图书馆工作，有时间喜欢给报纸、杂志写点儿东西。以前没电脑，只能用笔写，觉得很不方便³。现在电脑也不贵了，所以我想买个电脑。"

5　　方新又问："那你用什么软件¹写东西呢？"

　　那女的说："软件¹？这个……我还没有想好呢。"

　　方新问："你听说过'新月中文'吗？打算买'新月中文'吗？"

10

那个女的说："我听说过'新月中文'，报纸上介绍过，说是我们国家最好的中文软件[1]。我也问过一些同学、朋友，他们都觉得'新月中文'很好用，现在还没有比它更好的中文软件[1]。不过，我今天不准备买，以后买不买，我还没有想好。"

方新和小月又问了几个人，他们都说"新月中文"好，但还没想好买不买。

从电脑商店回来，方新对小月说："我看，不是因为大家觉得'新月中文'不好，才不买。最近软件[1]卖得少，一定有别的[15]问题！"

5

10

Want to check your understanding of this part?
Go to the questions on page 56–57.

---

15. 别的 biéde: other

3. 谁忘了钱包¹⁶

中午，方新和小月就在公司吃午饭。吃饭的时候，有个客人来到公司，他大概有五十多岁，长得很高。一进来就问："你们这里卖'新月中文'吗？我想买一个。"

方新忙站起来，拿出一个软件¹走上前："对啊，我们就是卖'新月中文'的。"他介绍了一下软件¹，又说："能不能问一下，您是从哪里听说这个软件¹的？"

那个男的说："'新月中文'很有名，报纸上介绍过，我也听一些朋友说过，这个软件¹很不错，特别是对我们中国人比较合适。我今年已经53岁了，电脑可能不太容易学，所以我一定要买好用的软件¹。我英文不大好，外国的软件¹用起来¹⁷不方便³，我喜欢

16. 钱包 qiánbāo: purse, wallet
17. 用起来 yòng qǐlai: using it feels...

12

中国的软件[1]。"

方新听了非常高兴，问："您贵姓?"

那个男的说："我姓黄，是学校的老师。"他说了一些学校的事，高兴地拿出钱，买了一个软件[1]，然后就出去，坐公共汽车走了。

他走后不久，小月看见桌子上有个钱包[16]。一看，钱包[16]里有两千多块钱，还有三张电影票。"这是谁的钱包[16]?"她问。

方新看了看："一定是刚才那个黄老师的，他忘拿了。钱包[16]不见了，他一定很紧张。我们要马上告诉他。"

小月说："给他打个电话? 有他的电话吗?"

方新说："咱们没有记他的电话，也不知道他叫什么名字。"

公司里别的[15]人说："等他自己回来拿吧。"

方新想了想，"他不一定知道自己的钱包[16]不见了，知道钱包[16]不见了，也不一定想到在我们这里。我看，还是把钱包[16]给他送去吧。刚才和他说

5

10

15

20

话，我听说他是一个学校的老师，教历史的，他们学校在机场附近。我到那个学校去找他。"

5 "这样也好，你快去吧。"小月看了看外边，"外边很冷，你多穿件衣服，别感冒了!"

方新说："我身体好，不容易生病。"不过，他还是多穿了一件衣服，然后拿着钱包¹⁶跑出去了。

10 走到钱贵的公司旁边，钱贵正在收拾自行车，看见他，问："天这么冷，你上哪儿去? 是不是找姑娘跳舞啊?"

方新说："有个客人把钱包¹⁶忘在我公司了，我给他送去。"

钱贵两只小眼睛看着他，上上下下¹⁸看了好一会儿¹⁹，才说："方新啊方新，你没出什么问题吧？我还以为你去找漂亮姑娘玩儿呢！钱包¹⁶是他自己忘的，如果他回来找，你给他也就行了。要是他不回来，你就自己拿着。你还给他送去！这种事只有你会做！要我看，他找上门来，你说没看见，就不给他，他有什么办法？能把你怎么样？"

方新笑了笑："没关系，今天客人不多，不太忙，我给他送去，不麻烦。"他上了公共汽车，往机场那边去。坐了一个多小时汽车，到了那个学校。学校离机场不远，站在学校大门旁边就能看见飞机。

因为是星期天，学校不上课，一些学生在教室里复习，准备考试，也有一些学生在打篮球、玩儿足球。方新问一个学生："同学，请问，教历史的黄老师家在哪里？"那个学生说：

5

10

15

20

18. 上上下下 shàngshàngxiàxià: up and down, thoroughly
19. 好一会儿 hǎo yíhuìr: for quite a while

"黄老师家就在学校旁边，我带你去找他！"他带方新来到一个小公园后边，上了一个高楼，来到黄老师家。

5　　黄老师正准备出去，看见方新，他停了下来，问："是你？……你怎么来了？"

方新说："你好，黄老师！中午你在我们公司买软件¹的时候，忘没忘什么东西？"

10　　黄老师说："我的钱包¹⁶不见了。是

不是忘在你那儿了？我正准备去找呢！"

方新说："我刚才在公司里看见有一个钱包¹⁶，但不知道是不是你的。你的钱包¹⁶是什么颜色的？里边有多少钱？"

黄老师说："我的钱包¹⁶是红色的，里边有两千五百多块。还有三张电影票，那是我女儿给我的生日礼物！今天是我生日，她知道我喜欢看电影，准备晚上让我们一家人去看电影。对了，包里还有一张我女儿的照片。那张照片是我给她照的。"

方新拿出钱包¹⁶，"钱包¹⁶里是有一张姑娘的照片，她长得非常像你，一看就知道是你女儿。黄老师，这是你的钱包¹⁶，你看一下！"

黄老师非常高兴："太谢谢你了！这么远的路，你还给我送来。来来来，请进来坐一会儿，吃点儿水果！"

方新说："谢谢，不客气！"

黄老师说："请一定进来坐坐，我还有点儿事跟你说呢。"

方新就进他家坐了一会儿。黄老师家非常干净，客厅有两张画儿，画的是漂亮的风景，是一个很有名的人画的。他家里还有一只小狗，非常可爱。黄老师很客气，拿出苹果请他吃，又说："方先生，你的软件[1]做得好，人更好！最近我们学校准备开电脑课，教学生用电脑，打算买100个电脑、100个软件[1]。我跟他们说说，就从你们公司买，怎么样？"

方新一听，高兴极了："那太好了！谢谢你，黄老师！"

Want to check your understanding of this part?
Go to the questions on page 57.

4. 有人卖盗版[20]软件

　　几天后，黄老师和他们学校的两个老师来到新月电脑公司，买了100个电脑、100个软件[1]。方新一下有了一百多万！他和小月都非常高兴。这件事让他们认识到：你对大家好，大家也会对你好，给人方便[3]，自己方便[3]，做什么事都是这样！

　　黄老师参观了他们的公司，说："现在有的人只买电脑，不买软件[1]。他们喜欢用盗版[20]软件[1]。我觉得这样不好。要是大家都不买软件[1]，软件[1]卖给谁？以后谁还做软件[1]？"

　　方新说："黄老师，您的意思是，'新月中文'也有盗版[20]？"

　　黄老师说："我没见过，不过，我听说也有。上个月[9]，我请一个刚从美国回来的同学吃饭，他说他有一次来

5

10

15

20. 盗版 dàobǎn: pirated (books, software, etc.)

中关村，就看见有人卖盗版[20]的‘新月中文’。”

"是吗？不是开玩笑吧？"

黄老师说："怎么会是开玩笑呢？只不过，我同学没有买。但是他觉得很不舒服。"

有人盗版[20]"新月中文"了！盗版[20]软件[1]比较便宜，很多人就去买盗版[20]。方新现在清楚了，最近来公司买软件[1]的人少，就是因为这个！做盗版[20]的是谁？盗版[20]都在哪些地方卖？方新知道，如果不把做盗版[20]的人找出来，盗版[20]会一直卖，那么买"新月中文"的人还会更少！

黄老师看了看表，"都十点一刻了，我们应该走了。过几天我要去外国旅行，要回家收拾一下行李。再见！下次买电脑还找你们！"

黄老师走后，方新马上来到外边，这里看看，那里问问，希望找到卖盗版[20]的人。但是一直到下午四点多，他都没有看见卖盗版[20]的人。第二天，他又去找，还是没有找到。

这天上午，方新走到一家银行旁边的时候，听到有人说："软件[1]，要软件[1]吗？"回头[21]一看，看见一个女的手里拿着一些软件[1]正在卖。她大概二十多岁，穿着一件红衣服，长得不大好看，听她说话，她不是北京人。

方新走过来，问："有什么软件[1]？"

穿红衣服的姑娘说："有很多，你要什么软件[1]？"

"有'新月中文'吗？"

21. 回头 huí tóu: turn the head, look back

那个姑娘不知道方新是谁，说："有啊，要买吗？"说着拿出一个软件[1]给他。方新一看，软件[1]上写着"新月中文"几个字！不过，这是盗版[20]的"新月中文"！

方新问："你的软件[1]能用吗？"

那个女的说："能用，怎么不能用？这软件[1]很有名，是我们国家最好用的中文软件[1]，只要懂汉语的人都能用，非常方便[3]。"

方新又问："多少钱一个？"

那个女的说："20块。"

20块！方新的软件[1]卖五百多块，可是盗版[20]软件[1]只要20块！

他说："这么贵，还能再便宜点吗?"

那个女的说："你想买多少? 如果买得多，可以再便宜一些。"

方新说："我就买一个。你便宜一点儿吧。"

那个女的说："买一个便宜不了多少[22]。这样吧，你给我18块。"

方新给了她18块，那个女的给了他一个软件[1]。

回到公司，方新把盗版[20]软件[1]放进电脑，试了试，真的可以用。不过，不像正版[23]软件[1]那么好用，有时候会出点儿小问题。

公司里的人都很不高兴，说："这是谁做的盗版[20]? 快给警察[24]打电话，把这件事告诉警察[24]，让警察[24]找他们!"

方新马上给警察[24]打电话，说："我是新月电脑公司的方新，有人盗

22. 便宜不了多少 piányi bùliǎo duōshǎo: not that much cheaper
23. 正版 zhèngbǎn: original (or copyrighted or registered)
24. 警察 jǐngchá: police

版[20]我的软件[1]！"

警察[24]说："请你到我们这里来一下，把盗版[20]软件[1]也拿过来。"

方新很快去了警察[24]那里，他带了两个软件[1]，一个是他们的"新月中文"，还有一个是盗版[20]的。

警察[24]看了看，说："我知道'新月中文'，我们现在用的就是这个软件[1]。'新月中文'非常不错，大家都喜欢用。最近我们也听说，中关村有人卖盗版[20]软件[1]。不过，这些人不在一个地方卖，今天在这里，明天在那里，后天又去了另外[25]一个地方，很难找。我们找了几次，都没有找到。我们想找到卖盗版的人，更想找到做盗版[20]的人，不让他们再这样做下去。这些做盗版[20]的人，真是太坏了！请问，你这个盗版[20]软件[1]在哪里买的？"

方新说："在一家银行外边。"

警察[24]说："能不能带我们去？"

方新说："可以，我带你们去！"

方新带着两个警察[24]，开着汽车

25. 另外 lìngwài: additional, another

来到中关村。离那家银行不太远了，方新看见那个穿红衣服的人还在那里卖盗版[20]软件[1]，就对警察[24]说："就在那里，就是那个女的！"警察[24]说："快！"他们很快地下了车跑过去。

但是，就在这个时候，卖盗版[20]的人跑了！方新和警察[24]跑到银行外边，那个人已经不见了，不知道跑到哪里了。方新左看右看，没有看见那个女的。

过了一会儿，方新和警察[24]回到

5

10

车上。警察[24]说："卖盗版[20]的不只一个人，他们很多人在一起。有的人在卖，有的人在旁边看。我们开着车，穿着警察[24]的衣服，他们很远就能看见我们。我们还没到，他们已经跑了。下次我们不能这样，不能让他们看出我们是警察[24]。方先生，谢谢你带我们来。我们还会找，一定要找到做盗版[20]的人。如果你再看见有人卖盗版[20]，请马上告诉我们!"

Want to check your understanding of this part?
Go to the questions on page 57–58.

5．盗版[20]从哪里来

　　最近，报纸上、电视上常常说盗版[20]问题，让大家不要买盗版[20]软件[1]。但是，因为盗版[20]软件[1]非常便宜，买盗版[20]的人还是不少。以前，盗版[20]在北京卖得比较多，别的[15]城市的人还是买方新的"新月中文"。可是这两个月，"新月中文"在别的[15]一些城市卖得也比以前少了。

　　小月说："盗版[20]软件[1]不只北京有，别的[15]城市也有了。哪个城市有盗版[20]软件[1]卖，哪个城市'新月中文'就卖得少。只要有盗版[20]，买'新月中文'的人就会少。"

　　方新说："最早只有北京有盗版[20]，最近不少城市也有了盗版[20]。所以我觉得，做盗版[20]软件[1]的人一定就在北京！他们是谁？我还要找，一定要把他们找出来！如果不找到他们，'新月中文'就会卖不出去！那么公司就完了！"

以后只要有时间，<u>方新</u>就在<u>中关村</u>这里走走，那里看看，看一看哪儿有人卖盗版[20]。这天下午，<u>方新</u>来到一家商店外边，听到旁边有人问："先生，要软件[1]吗？"<u>方新</u>一看，是个男的，大概有二十多岁。他的前面放着一个黑包，那里有好多种软件[1]，<u>方新</u>过去看了看，一下看见了"<u>新月中文</u>"。

他好像没什么[8]兴趣，说："这些都是旧软件[1]，很多我都买过了。"

那个男的收拾一下软件[1]，说："有新的，好多种呢。哥，你好好儿[26]看看。"

<u>方新</u>说："我现在没时间，有空儿再说吧。"走到楼后一个没人的地方，他拿出手机，给警察[24]打了个电话："我看见卖盗版[20]的人了，就在一家卖药的小商店外边，你们快来！"

警察[24]说："好，我们马上到！你注意他们，别让他们跑了！"

26. 好好儿 hǎohāor: carefully, earnestly

　　过了一会儿，有个男的来到方新旁边。他就是方新认识的警察[24]。他旁边还有个女的，长得很可爱，好像是他的女朋友。但是方新知道，她是个女警察[24]。他们都没有穿警察[24]衣服，不认识他们的人，看不出[27]他们是警察[24]。男警察[24]问："他们在哪儿？"方新说："就在前面，那个穿白衣服的就是。"

　　男警察[24]走过去，对那个卖盗版[20]的说："有什么软件[1]？有'新月中文'吗？"

5

10

27. 看不出 kàn bu chū: can't see, do not realize

"有，当然有。"卖盗版[20]的说，"这么好卖的软件[1]，怎么会没有呢？"

男警察[24]看了一下盗版[20]软件[1]，问："多少钱？"

5 　　卖盗版[20]的说："20块一个。"

男警察[24]说："买得多，能便宜吗？我要买100个，能便宜多少？"

卖盗版[20]的问："你怎么买这么多？"

10 　　男警察[24]说："买这么多，当然不是自己用。我也是想卖这种软件[1]。"

卖盗版[20]的人有些紧张："在哪里卖？不会是在中关村吧。"

男警察[24]说："我当然不在中关村卖，中关村是你们的地方，我不可能在这里卖。我也不在北京卖，我要拿到一些小城市卖。怎么样？能便宜多少？"

卖盗版[20]的人这才高兴起来，说："你不在北京卖，我可以卖给你。你一下买100个，我可以给你便宜些。15块一个，怎么样？"

警察[24]说："太贵了，14块吧！"

卖盗版[20]的人想了想，"也行，但是我要先看看有没有这么多。"他拿出手机，打了个电话，说："'新月中文'还有多少？有人想买100个，还有那么多吗？有？太好了，什么时候能送过来？行，我等着。"打完电话，他对警察[24]说："等一会儿吧，他会送来。"

过了一会儿，卖盗版[20]的接了一个电话，然后说："东西已经送来了，你们在这里等着，我去拿东西。"

男警察[24]说："我跟你一起去吧。"

卖盗版[20]的说："不，不，你们不能去，他不让我带人去。"说着往楼后去了。

两个警察[24]见他没注意，不远不近地[28]跟着[29]往楼后走去。过了一会儿，方新也跟着[29]到楼后来了。卖盗版[20]的人没有看见他们。

楼后有个小房子，很旧，门的外边站着一个穿黑衣服的男子，他前面放着一个黑包。卖盗版[20]的人走上前问："是100个吗？"那个人说："100个，不会错的。"卖盗版[20]的人看了看黑包，说："钱过一会儿给你。你在这里等着吧。"

就在这个时候，男警察[24]跑过来，说："别动[30]，警察[24]！"那两个卖盗版[20]的拿起黑包就跑。跑到一个小商店外边，另一个女警察[24]站在他们前面，说："警察[24]！往哪儿跑？别动[30]！"两个警察[24]一前一后，很快把他们抓住了。

这时候，方新也走了过来。

28. 不远不近地 bùyuǎn-bújìn de: not too near but not too far either, at an suitable distance
29. 跟着 gēnzhe: follow
30. 动 dòng: move

　　警察²⁴把卖盗版²⁰的人带到办公室。男警察²⁴问那个穿黑衣服的人："你叫什么名字？"

　　那个人紧张地说："我，我姓<u>毛</u>，叫<u>毛书明</u>。"

　　警察²⁴问："什么时候开始做盗版²⁰？"

　　<u>毛书明</u>说："盗版²⁰不是我做的，我只卖软件¹。我从一个人那里买了以后，再卖给别人。我买进来的时候一个软件¹5块钱，再卖给别的¹⁵卖软件¹的人，一个10块。他们再往外卖，一

5

10

个卖15块、20块。"

警察[24]问："你的软件[1]是从谁那里买的?"

毛书明说："一个男的,我不知道他的名字,也不知道他住在哪里。"

警察[24]问："他的电话多少? 你们每次在哪里见面?"

毛书明说："我不知道他的电话,他从来没有[31]告诉过我。他每次给我打电话,都用不一样的电话号码。每次见面,也都是在不一样的地方。跟他一起的还有什么人,他们的软件[1]是从哪里来的,他从来不说,也不让我问。"

警察[24]问："你们怎么认识的?"

毛书明说："是他找我的,以前我在中关村卖书,他找到我,问我想不想卖软件[1]。我知道卖软件[1]赚钱[13]更多,就说可以试试,我们就这么认识了。"

警察[24]说："毛书明,我看你说的不是真话! 你们认识这么久,怎么可能不知道他的电话?"

31. 从来没有 cónglái méiyǒu: never

毛书明说："我真的不知道！你打死我，我也不知道！"

警察[24]又问了一些问题，但是毛书明只卖盗版[20]软件[1]，他真的不知道做盗版[20]的是谁，也不清楚他们在哪里。警察[24]让他先回家，告诉他做盗版[20]的人再给他打电话的时候，就马上告诉警察[24]。但是，那个做盗版[20]的人再没有打电话给他。

盗版[20]是从哪里来的？方新还是不知道。

5

Want to check your understanding of this part?

Go to the questions on page 58.

6. 书店里的人

最近几个星期，警察[24]常常到中关村来，看见卖盗版[20]的，就把他们带走。卖盗版[20]的人一看见警察[24]，马上就跑。中关村卖盗版[20]的比以前少了。方新和小月都很高兴。他们希望，卖盗版[20]的少了，买"新月中文"的人能多起来。

可是，冬天走了，春天来了，买"新月中文"的人还是不太多。方新打电话问了几个在小城市工作的朋友，他们说他们那里还是有人卖盗版[20]软件[1]。中关村卖盗版[20]的少了，但是小城市卖盗版[20]的更多了！

警察[24]一直没有找到做盗版[20]的人。只要还有人在做盗版[20]，买"新月中文"的人就不可能多！但是，做盗版[20]的人是谁呢？他在哪里呢？

北京的春天很短。天气一天比一天暖和，没多久，夏天到了。

　　周末的一天，小月来到中关村的
一家书店。最近她参加了一个电脑学
习班，想多学一些东西。过几天就要
考试了，她打算买几本书，帮助复
习。这家书店不大，除了卖书，也卖 5
杂志、报纸和一些软件[1]。书店里买东
西的人不多。小月买了一本英文词
典，还买了两本电脑杂志。

　　刚准备走，她听到有人在打电
话，那是一个男的，他打着电话走进 10

了后面的一个房间。那个男人的声音听起来³²好像认识，但<u>小月</u>又想不起来³³他是谁。那个男的说："是要'<u>新月中文</u>'吗？你们要多少？"

<u>小月</u>想："谁在卖'<u>新月中文</u>'？"她看了看，房间的门关着，看不见房间里的人。她走到房间外边，听那个人说话。

房间里那个男的还在打电话，"最少5块一个，跟你的客人说，这是最便宜的了！可以吧？……好，那就这样。你把钱寄过来，我收到钱后，马上把东西寄给你。你贵姓？姓<u>李</u>。好，没问题，我知道了……"

<u>小月</u>觉得不对，这是在说"<u>新月中文</u>"吗？"<u>新月中文</u>"一个好几百块，这个人怎么说是5块一个？5块一个，那一定是盗版²⁰！房间里的人在卖盗版²⁰吗？

过了一会儿，房间里的人打完电话出来了，<u>小月</u>站到旁边，看了那个人一下。<u>钱贵</u>！那是<u>钱贵</u>！<u>钱贵</u>怎么会在这里？他不是开²电脑公司吗？怎

32. 听起来 tīng qilai: sound (like)
33. 想不起来 xiǎng bu qǐlái: unable to call to mind, can't remember

么会在书店里打电话？这家书店好像
也是他开的。他什么时候开了家书店？

　　钱贵好像要去办什么事，没有注
意到她，很快走到门外边去了。他叫
了一辆红出租车[34]，上了车很快走
了。小月想，这里一定有问题，她要
看一看，钱贵怎么卖"新月中文"！她
马上到外边，上了一辆黄出租车[34]，
对开车的人说："快！跟着[29]前面那辆
红出租车[34]！"

　　开车的人说："好！"出租车[34]很
快往前开去。

5

10

34. 出租车 chūzūchē: taxi

小月又说："别离得太近，别让他看见有人跟着[29]。"

开车的问："小姐，你们不是一起的吗？"

5　　小月说："别问那么多，你好好儿[26]开车吧！"

下雨了，路上有很多水，车也很多，钱贵坐的红出租车[34]开得不快，小月的黄出租车[34]不远不近地[28]跟在后

10　面。红出租车[34]一直往北开，开了一会儿，又往西开去。又开了一会儿，他们出了城市，开到小路上，这里都是一些不高的小房子，路上的汽车也不多。

15　　钱贵怎么到这样的地方来？他来这里干什么？看起来这人一定有问题！

小月坐在车上，拿出手机给方新打电话，说："钱贵可能在卖盗版[20]'新月中文'！他从中关村往北去了，

20　我正在跟着[29]他……"

方新说："知道了，我马上来！"

钱贵没有看见有人跟着[29]，红出租车[34]一直往前开，没过多久[5]，开到一个旧房子前。他下车进了房子。

25　　小月也下了车，走到那个小房子

前面。房子的大门进不去，小月到旁边看了看，看见房子有个后门。后门开了一半，在那里可以听到房子里的人说话。

她听到一个男的问："这个时候你怎么来了？"

钱贵说："老周，刚才我接到一个电话，有人要买'新月中文'，要2,000个！他希望今天就拿到东西。这是个好机会啊。我不马上来行吗？"

姓周的说："有没有人跟着[29]你？"

钱贵说："没有人，谁也不知道我

到这个地方来！"

姓周的这才高兴一点儿，说："最近警察[24]一直在找我们，我们说话、做事一定要特别注意，一定不能让人知道。别找麻烦！好吧，我们给客人准备软件[1]。"

5

小月往房子里看了看，房子不大，一个房间是卧室，房间里放着床，客厅里放着很多东西。小月看见钱贵和那个姓周的从房子里搬出几包东西，放到一辆汽车上。姓周的很高，不过长得很难看，不像是个好人。他从包里拿出一个软件[1]，高兴地说："最近要'新月中文'的人很多。这真是个好东西啊，这么多人喜欢！好好儿[26]干，我们一定会赚很多钱！日子[11]会一天比一天好！"

10

15

小月看见他手里的软件[1]，就是"新月中文"。这个软件[1]跟方新的软件[1]差不多，但她知道，这是盗版[20]软件[1]。方新一直在找做盗版[20]的人，谁知道，这个人是钱贵！

Want to check your understanding of this part?
Go to the questions on page 58–59.

7. 钱贵的故事

　　小月的手机动[30]了一下。她拿出手机一看，是方新打来电话，问："你在哪里？我怎么走？"小月怕钱贵和姓周的听见，没有说话，走到旁边，给方新回了一个手机短信[35]，告诉他她在什么地方。 5

　　然后，她回到后门，准备看钱贵他们做什么。刚走到后门，她觉得旁边好像有人，回头[21]一看，那个姓周的高大男子站在她旁边，两只大眼睛看着她。 10

　　姓周的问："你在这里做什么？"

　　小月没想到姓周的会看见她，"我，我走错路了……"

　　钱贵听到他们说话，也从房子里出来了，看见小月，说："是你？" 15

　　姓周的问："你认识她？"

35.（手机）短信 (shǒujī) duǎnxìn: (cell phone) instant message

钱贵说:"认识,她是方新的妻子[36]。"

姓周的马上把小月关进[37]房子里,问小月:"你来这里做什么?"

5　小月有点儿紧张,"没什么[8],我不认识路,走错路了。"

钱贵拿过她的手机,一看,说:"她给方新打电话了,刚刚打的!"

姓周的打了小月一下,打得很10　重,小月疼得坐在了地上,没办法站起来。

姓周的看着钱贵,不高兴地说:"刚才我问你有没有人跟着[29],你说没

36. 妻子 qīzi: wife
37. 关进 guānjìn: be shut away in (a room)

有。你看，<u>方新</u>的妻子[36]跟来了！她
还给方新打了电话，方新一定会告诉
警察[24]，警察[24]马上就会来这里！马上
就会来找我们！"

钱贵说："老周，不好意思，我真 [5]
的不知道她跟着[29]我。我们怎么办[38]？"

姓周的说："杀[39]了她！要不然[40]
她会把我们的事告诉警察[24]，那我们
就完了！"

钱贵站着不动[30]，"这样不行吧？ [10]
杀[39]了人，麻烦就大了！"

姓周的说："只能这样！快，警
察[24]快要来了！"

小月站起来，想跑，姓周的又打
了她一下，不让她跑。 [15]

姓周的从房间里拿了一把[41]刀[42]，
走上前，要杀[39]小月。钱贵看着他，
说："老周，很对不起，是我给你带来
了麻烦，这事还是我来办吧！"

姓周的说："那好，你来吧！"说 [20]

38. 怎么办 zěnmebàn: what should one do
39. 杀 shā: kill
40. 要不然 yàobùrán: otherwise
41. （一）把（刀）(yì) bǎ (dāo): a classifier (for objects with a handle, such as knife, kettle, chair etc.)
42. 刀 dāo: knife

着，把刀⁴²给了钱贵。

钱贵手里拿着刀⁴²，走到小月前面，好像要杀³⁹她，但一直没有动手⁴³。

姓周的说："还等什么，快动手⁴³啊!"

5　　但是就在这个时候，钱贵跑到姓周的前面，用刀⁴²对着他，说："不要动³⁰! 要动³⁰我就杀³⁹了你!"回过头对小月说："快跑!"

小月马上开门跑了出去。

10　　钱贵一直用刀⁴²对着姓周的，姓周的非常不高兴，问："钱贵! 你怎么了? 为什么放⁴⁴她走? 你想让她去找

43. 动手 dòng shǒu: start work, take action
44. 放（她走）fàng (tā zǒu): set (her) free, release (her)

46

警察²⁴吗?"

钱贵说:"对不起,我只想多赚钱,不想杀³⁹人!"

姓周的说:"你放⁴⁴她走,她会把什么都告诉警察²⁴,你知道吗?"

钱贵说:"我知道,但是我不想杀³⁹人!"

姓周的看了一下大门,说:"那好吧,她已经走了,我们不可能杀³⁹她了。警察²⁴马上就会来,我们也走吧!"

钱贵这才放⁴⁴开他。这时候,姓周的很快地打了钱贵一下,打得很重,钱贵手里的刀⁴²掉在了地上。姓周的拿起刀⁴²,扎⁴⁵了钱贵一下。"钱贵,狗一样的东西,你去死吧!我看错人了!"

钱贵伤⁴⁶得很重,"啊!"地大叫了一声⁴⁷……

小月从那个房子跑出来后,很快跑到大路上。一辆出租车³⁴开过来,她大叫:"出租车³⁴!出租车³⁴!"出租车³⁴开到她旁边,小月上了车,说:

5

10

15

20

---

45. 扎 zhā: stab
46. 伤 shāng: injure
47. 大叫一声 dà jiào yì shēng: utter a cry, give a shout

"快开，快！"出租车[34]很快往前开去。小月回头[21]看了看，钱贵和姓周的没有跟来。

跑了不远，对面来了一辆警察[24]的车。虽然那辆车开得很快，但是小月还是看见方新坐在车上。她忙说："对不起，我要下车！"她拿出10块钱给开车的人，很快下车，大叫："方新！方新！"

方新也看见她了，他和两个警察[24]下了车，跑了过来："小月！你没事吧？"

小月说："没事，他们拿了我的手机，还想杀[39]我。"

方新上上下下[18]看了看，见小月真的没事，才高兴一点儿，问："他们在什么地方？"

小月说："就在前面一个旧房子里，我带你们去！"她上了警察[24]的车，坐在方新旁边。汽车往前开去，很快来到了那个旧房子前面。

警察[24]跑到房子里，看见钱贵衣服上红红的，都是血，他已经没法走路了。那个姓周的男子已经不见了。看见方新，钱贵说："快打电话叫医生，周进要杀[39]我，我要死了……"警察[24]马上给医院打电话，请医生过来。

方新问："周进是谁?"

钱贵说："他是专门[48]做盗版[20]的，已经跑了，我也不知道他去了哪里……"

方新问："你怎么会跟他在一起?"

钱贵疼得已经不能说话。

不久，医院的车来了，几个大夫把钱贵送到医院。

Want to check your understanding of this part?

Go to the questions on page 59.

48. 专门 zhuānmén: specially, purposely

8. 做一个好人

钱贵在医院住了几天，方新和警察[24]常常到医院里看他。他的身体好了起来，警察[24]又问他做盗版[20]的事，他这才说了出来。

5　　钱贵的家在一个小城市，他家人多，爷爷奶奶已经八十多岁，爸爸妈妈也已经六十岁了，他有一个哥哥、一个姐姐，还有弟弟妹妹，他们都没有好工作，生活过得很不容易。更麻

烦的是，他爸爸身体不好，常常生病，看病、买药要花⁴⁹很多钱。他们家没有多少钱，常常要借钱看病。

　　钱贵上大学的时候，每天上完课都去商店帮人卖东西，每年暑假也都去商店帮人卖东西。上完大学后，刚开始他在一个大学里工作，每个月只有一千多块，每次拿到钱，他都要寄五六百块回家，给爸爸妈妈用，他自己花⁴⁹得很少，一年都不买一件新衣服，衬衫、裤子都是旧的。他觉得钱太少，不够用，就去了中关村，自己开²了一家公司，希望能赚更多的钱。

　　开始的时候，不少人到钱贵的公司买电脑，但是他卖给客人的电脑又贵又差，很多人就不到他那里买东西了，公司的客人一天比一天少，已经很难再开²下去。这时候，周进找到他，对他说："钱先生，赚钱¹³一点儿也不难，只要什么都不怕，就会有钱！我们一起做盗版²⁰，用不了多久，就会有很多钱。我做这个已经好多年了，但是我一个人太忙，要是你能帮我，我们一起做，很多事就好办了。"

5

10

15

20

---

49. 花(钱) huā (qián): spend (money)

钱贵想了想，就跟周进一起做盗版[20]了。什么软件[1]好卖，他们就做什么软件[1]的盗版[20]。"新月中文"大家比较欢迎，他们很快就做了"新月中文"的盗版[20]，开始在北京卖，后来[50]又在一些小城市卖。钱贵真的有钱了，每月都给家里寄不少钱，他自己也买了不少新衣服，吃的也比以前好多了。但是他想不到[51]，警察[24]这么快就找到了他……

谈起这些事，钱贵觉得很难过[52]。他说："现在我知道了，要想把公司办好，先要做一个好人。只想着自己，不想着大家，公司一定做不大。方新，你是个好人，我希望新月电脑公司越来越[6]好！"

钱贵因为做盗版[20]，警察[24]把他带走了。走的时候，他对方新说："对不起，方新，是我给你们带来了麻烦，真的很对不起。我不知道以后还能不能再开[2]公司，要是能开[2]，我一定要跟你学，做个好人！"

---

50. 后来 hòulái: later, afterwards
51. 想不到 xiǎng bu dào: unexpectedly, unable to anticipate
52. 难过 nánguò: feel bad, have a hard time

方新什么也没有说。

又过了几天，警察[24]给方新打电话，说他们已经在一个小城市找到了周进。警察[24]高兴地说："我想，以后不会有人再做'新月中文'的盗版[20]了。你好好儿[26]做软件[1]吧，希望你们做出更好的软件[1]！"

5

Want to check your understanding of this part?
Go to the questions on page 59.

To check your vocabulary of this reader,
go to the questions on page 60.

To check your global understanding of this reader,
go to the questions on page 61.

生词表
Vocabulary list

1	软件	ruǎnjiàn	software
2	开(公司)	kāi (gōngsī)	start / run (a company)
3	方便	fāngbiàn	convenient
4	高兴坏了	gāoxìng huài le	very happy, overjoyed
5	没过多久	méi guò duōjiǔ	before long, soon
6	越来越	yuèláiyuè	more and more
7	离不开	lí bu kāi	must have, cannot work without ...
8	没什么	méi shénme	(there is) nothing unusual, (there is) not any
9	上个月	shàng ge yuè	last month
10	这么说	zhème shuō	saying this way, so, then
11	日子	rìzi	day, date
12	杯	bēi	cup
13	赚钱	zhuàn qián	make money
14	有的是	yǒudeshì	have more than enough
15	别的	biéde	other
16	钱包	qiánbāo	purse, wallet
17	用起来	yòng qilai	using it feels...
18	上上下下	shàngshàngxiàxià	up and down, thoroughly
19	好一会儿	hǎo yíhuìr	for quite a while
20	盗版	dàobǎn	be pirated (books, software, etc.)
21	回头	huí tóu	turn the head, look back
22	便宜不了多少	piányi bùliǎo duōshǎo	not that much cheaper
23	正版	zhèngbǎn	original (or copyrighted or registered)
24	警察	jǐngchá	police

25	另外	lìngwài	additional, another
26	好好儿	hǎohāor	carefully, earnestly
27	看不出	kàn bu chū	can't see, do not realize
28	不远不近地	bùyuǎn-bújìn de	not too near but not too far either, at an suitable distance
29	跟着	gēnzhe	follow
30	动	dòng	move
31	从来没有	cónglái méiyǒu	never
32	听起来	tīng qilai	sound (like)
33	想不起来	xiǎng bu qǐlái	unable to call to mind, can't remember
34	出租车	chūzūchē	taxi
35	(手机)短信	(shǒujī) duǎnxìn	(cell phone) instant message
36	妻子	qīzi	wife
37	关进	guānjìn	be shut away in (a room)
38	怎么办	zěnmebàn	what should one do
39	杀	shā	kill
40	要不然	yàobùrán	otherwise
41	(一)把(刀)	(yì) bǎ (dāo)	a classifier (for objects with a handle, such as knife, kettle, chair etc.)
42	刀	dāo	knife
43	动手	dòng shǒu	start work, take action
44	放(她走)	fàng (tā zǒu)	set (her) free, release (her)
45	扎	zhā	stab
46	伤	shāng	injure
47	大叫一声	dà jiào yì shēng	utter a cry, give a shout
48	专门	zhuānmén	specially, purposely
49	花(钱)	huā (qián)	spend (money)
50	后来	hòulái	later, afterwards
51	想不到	xiǎng bu dào	unexpectedly, unable to anticipate
52	难过	nánguò	feel bad, have a hard time

练 习

Exercises

1. 买软件[1]的人少了

根据故事选择正确的答案。 Select the correct answer for each of the questions.

(1) 新月电脑公司的老板是谁?

　　a. 方新　　　　　　　　　b. 小月

(2) 新月电脑公司卖的软件[1]是什么样的软件[1]?

　　a. 用中文写东西的软件[1]　　b. 学中文的软件[1]

(3) 方新这几天很不高兴,因为

　　a. 买他们电脑的人少了　　b. 买他们软件[1]的人少了

(4) 那天晚上小月做了很多菜,因为那天

　　a. 是周末　　　　　　　　b. 是方新的生日

(5) 小月知道公司的问题以后,她打算和方新做什么?

　　a. 去公司看看　　　　　　b. 打电话问问朋友

2. 见到了"老朋友"

根据故事选择正确的答案。 Select the correct answer for each of the questions.

(1) 开始的时候,小月和方新觉得,他们的软件[1]不好卖可能是因为

　　a. 他们的软件[1]太贵　　　b. 他们的软件[1]不好用

(2) 小月和方新去了卖电脑的地方,因为

　　a. 他们想知道为什么买"新月中文"的人少了

　　b. 他们要见一个朋友

(3) 钱贵是方新以前的同学还是老板?

　　a. 同学　　　　　　　　　b. 老板

(4) 钱贵和小月认识吗?

    a. 认识   b. 不认识

(5) 买电脑的人觉得"新月中文"怎么样?

    a. 很好   b. 不好

(6) 那些买电脑的人说他们会不会买"新月中文"?

    a. 会   b. 不会   c. 没想好

(7) 最后,方新觉得,他们的软件[1]不好卖是因为

    a. 他们的软件[1]有问题   b. 有别的[15]问题

3. 谁忘了钱包[16]

根据故事选择正确的答案。Select the correct answer for each of the questions.

(1) 来新月电脑公司的那个客人想做什么?

    a. 买软件[1]   b. 修电脑

(2) 那个客人在哪儿工作?

    a. 学校   b. 飞机场

(3) 钱贵知道方新打算把客人的钱包[16]送回去,他说了什么?

    a. 方新,你做得对!   b. 方新,你有问题吧!

(4) 方新把钱包[16]给了那个客人以后,那个客人请他做什么?

    a. 去外边吃饭   b. 进家里坐坐

(5) 最后,那个客人打算怎么谢方新?

    a. 给方新钱   b. 买方新的电脑和软件[1]

4. 有人卖盗版[20]软件[1]

根据故事选择正确的答案。Select the correct answer for each of the questions.

(1) 那个忘钱包[16]的客人来方新的公司做什么?

    a. 买东西   b. 聊天

(2) 那个客人的朋友看见了什么?

    a. 有人在卖盗版[20]的"新月中文"

    b. 有一家公司在做盗版[20]的"新月中文"

(3) 看见有人在银行旁边卖盗版[20]软件[1],方新做了什么?

    a. 要送卖盗版[20]的人去警察[24]那儿

    b. 买了一个盗版[20]的"新月中文"

(4) 卖盗版[20]的人很快就跑了,因为

    a. 他们看见了警察[24]   b. 他们在警察[24]那儿有朋友

5. 盗版[20]从哪里来

下面的说法哪个对,哪个错? Mark the correct statements with "T" and the incorrect ones with "F".

(1) 盗版[20]的"新月中文"不只北京有,别的[15]城市也有。　（　　）

(2) 看见有人在一家商店外边卖盗版[20]"新月中文",方新马上让小月去找警察[24]。　（　　）

(3) 那天警察[24]没有穿警察[24]衣服,所以卖盗版[20]的人没看出他是警察[24]。　（　　）

(4) 警察[24]跟着[29]那个卖盗版[20]的人又找到一个卖盗版[20]的人。
　（　　）

(5) 穿黑衣服的人是卖盗版[20]的人的老板。　（　　）

(6) 穿黑衣服的人不知道做盗版[20]的人是谁。　（　　）

6. 书店里的人

下面的说法哪个对,哪个错? Mark the correct statements with "T" and the incorrect ones with "F".

(1) 中关村卖盗版[20]的人比以前少了,新月电脑公司的软件[1]卖得比以前多了。　（　　）

(2) 小月在一家书店听见有人在卖盗版[20]"新月中文"。　　（　　）

(3) 小月知道卖盗版[20]的人是钱贵后,马上给警察[24]打了电话。

（　　）

(4) 钱贵不知道小月在跟着[29]他。　　　　　　　　（　　）

(5) 小月跟着[29]钱贵的出租车[34],来到了一个旧房子。　（　　）

7. 钱贵的故事

下面的说法哪个对,哪个错? Mark the correct statements with "T" and the incorrect ones with "F".

(1) 老周知道小月给方新打了电话,想要杀[39]了她。　（　　）

(2) 小月看见老周要杀[39]她,就跑到街上大喊。　　（　　）

(3) 钱贵不想杀[39]小月,所以放[44]走了小月。　　　（　　）

(4) 小月走了以后,老周和钱贵就跑了。　　　　　（　　）

(5) 钱贵觉得自己做得不对,所以自己去找警察[24]了。　（　　）

8. 做一个好人

下面的说法哪个对,哪个错? Mark the correct statements with "T" and the incorrect ones with "F".

(1) 因为女朋友喜欢买东西,所以钱贵得赚很多钱。　（　　）

(2) 钱贵的公司没有赚到很多钱,因为他的电脑又贵又不好。

（　　）

(3) 钱贵觉得做盗版[20]软件[1]会赚很多钱,所以找了周进一起做。

（　　）

(4) 钱贵觉得对不起方新。　　　　　　　　　　（　　）

(5) 周进觉得自己做得不对,最后自己去找警察[24]了。　（　　）

词汇练习 Vocabulary Exercise

选词填空 Fill in each blank with the most appropriate word

1. a. 方便[3] b. 便宜 c. 客气 d. 介绍 e. 生病

   (1) 方新的身体很好,不容易_____。

   (2) 用"新月中文"写东西很_____。

   (3) 很多报纸都_____过"新月中文"。

   (4) 盗版[20]"新月中文"只要十几块钱,很_____。

   (5) 黄老师很_____。

2. a. 麻烦 b. 好用 c. 开玩笑 d. 清楚 e. 准备

   (1) 黄老师不爱_____。

   (2) 从中关村到飞机场很_____。

   (3) 盗版[20]"新月中文"没有正版[23]"新月中文"_____。

   (4) 小月要_____考试,所以去了书店买书。

   (5) 方新后来[50]才_____为什么他们的软件[1]不好卖了。

3. a. 看出 b. 复习 c. 差不多 d. 动[30] e. 杀[39]

   (1) 小月打算买几本书,帮助她_____。

   (2) 周进想_____了小月。

   (3) 因为警察[24]没穿警察[24]的衣服,所以卖盗版[20]的人没
      他们是警察[24]。

   (4) 盗版[20]"新月中文"和正版[23]"新月中文"看起来_____。

   (5) 小月的手机_____了。她一看,是方新打来的电话。

4. a. 看错 b. 借钱 c. 寄 d. 旧 e. 好卖

   (1) 钱贵把赚的钱_____回家了。

   (2) 盗版[20]软件[1]很便宜,所以很_____。

   (3) 周进觉得_____了钱贵。

   (4) 钱贵家没有钱,所以他的父亲只好_____看病。

   (5) 因为没有钱,钱贵总穿_____衣服。

综合理解 Global understanding

根据整篇故事选择正确的答案。 Select the correct answer for each of the gaped sentences in the following passage.

方新在中关村开[2]了一家(a. 软件[1]公司　b. 电脑公司)。他的公司卖一个中文(a. 书写软件[1]　b. 学习软件[1]),叫"新月中文"。开始的时候,"新月中文"卖得不错,可是不知道为什么后来[50]卖得越来越[6]少。方新以为(a. 他们的软件[1]不好用　b. 别的[15]公司也有这样的软件[1]),就去电脑商店问了买电脑的人。买电脑的人都说"新月中文"很好,可是他们没想好买不买。后来[50]有一天,(a. 一个客人告诉方新"新月中文"有盗版[20]　b. 方新看见一个卖盗版[20]的人),他这才知道为什么他们的软件[1]卖得越来越[6]少了。

有一天,方新在银行旁边看见了一个卖盗版[20]的(a. 男人　b. 女人)。可是等他带着警察[24]去抓那个人时,那个人很快就跑了。又有一天,方新在商店外边看见一个卖盗版[20]的(a. 男人　b. 女人)。他赶快(a. 去找警察[24]　b. 打电话给警察[24])。警察[24]没有穿警察[24]的衣服,所以卖盗版[20]的没看出他是警察[24]。因为那个警察[24]说要买(a. 很多"新月中文"　b. "新月中文"和别的[15]软件[1]),那个卖盗版[20]的就到别的[15]地方去拿。这样,警察[24]就抓到了(a. 一个卖盗版[20]的公司　b. 另外[25]一个卖盗版[20]的人)。一个姓(a. 毛　b. 黄)的卖盗版[20]的人说他见过做盗版[20]的人,可是不知道他叫什么名字。

后来[50],小月在书店听见有人卖盗版[20]"新月中文"。但是她没想到,那个人就是(a. 钱贵　b. 周进)。小月跟着[29]他来到一个地方,才知道(a. 有一个大楼都在做盗版[20]　b. 钱贵和另外[25]一个人在做盗版[20])。这时候,他们看见了小月。(a. 钱贵　b. 周进)要杀[39]了小月,可是(a. 钱贵　b. 周进)不想杀[39]小月,所以就帮助小月跑了出去。等警察[24]来的时候,他们看见(a. 钱贵　b. 周进)跑了,(a. 钱贵　b. 周进)躺在地上,全身是血。

(a. 钱贵　b. 周进)是方新的(a. 朋友　b. 同学)。因为(a. 他家需要很多钱　b. 他的女朋友生病了),所以才做盗版[20]赚钱[13]。他说他(a. 对不起方新　b. 不喜欢方新)。后来[50],警察[24]在一个小城市找到了(a. 钱贵　b. 周进)。

这样,再也没有人做盗版[20]"新月中文"了。方新和小月希望他们的公司越来越[6]好。

练习答案
Answer keys to the exercises

1. 买软件[1]的人少了
   (1) a   (2) a   (3) b   (4) b   (5) a

2. 见到了"老朋友"
   (1) b   (2) a   (3) b   (4) b   (5) a   (6) c   (7) b

3. 谁忘了钱包[16]
   (1) a   (2) a   (3) b   (4) b   (5) b

4. 有人卖盗版[20]软件[1]
   (1) a   (2) a   (3) b   (4) a

5. 盗版[20]从哪里来
   (1) T   (2) F   (3) T   (4) T   (5) F   (6) T

6. 书店里的人
   (1) F   (2) T   (3) F   (4) T   (5) T

7. 钱贵的故事
   (1) T   (2) F   (3) T   (4) F   (5) F

8. 做一个好人
   (1) F   (2) T   (3) F   (4) T   (5) F

词汇练习 Vocabulary Exercise

1. (1) e　(2) a　(3) d　(4) b　(5) c

2. (1) c　(2) a　(3) b　(4) e　(5) d

3. (1) b　(2) e　(3) a　(4) c　(5) d

4. (1) c　(2) e　(3) a　(4) b　(5) d

综合理解 Global understanding

方新在中关村开[2]了一家（b. 电脑公司）。他的公司卖一个中文（a. 书写软件[1]），叫"新月中文"。开始的时候，"新月中文"卖得不错，可是不知道为什么后来[50]卖得越来越[6]少。方新以为（a. 他们的软件[1]不好用），就去电脑商店问了买电脑的人。买电脑的人都说"新月中文"很好，可是他们没想好买不买。后来[50]有一天，（a. 一个客人告诉方新"新月中文"有盗版[20]），他这才知道为什么他们的软件[1]卖得越来越[6]少了。

有一天，方新在银行旁边看见了一个卖盗版[20]的（b. 女人）。可是等他带着警察[24]去抓那个人时，那个人很快就跑了。又有一天，方新在商店外边看见一个卖盗版[20]的（a. 男人）。他赶快（b. 打电话给警察[24]）。警察[24]没有穿警察[24]的衣服，所以卖盗版[20]的没看出他是警察[24]。因为那个警察[24]说要买（a. 很多"新月中文"），那个卖盗版[20]的就到别的[15]地方去拿。这样，警察[24]就抓到了（b. 另外[25]一个卖盗版[20]的人）。一个姓（a. 毛）的卖盗版[20]的人说他见过做盗版[20]的人，可是不知道他叫什么名字。

后来[50]，小月在书店听见有人卖盗版[20]"新月中文"。但是她没想到，那个人就是（a. 钱贵）。小月跟着[29]他来到一个地方，才知道（b. 钱贵和另外[25]一个人在做盗版[20]）。这时候，他们看见了小月。（b. 周进）要杀[39]了小月，可是（a. 钱贵）不想杀[39]小月，所以就帮助小月跑了出去。等警察[24]来的时候，他们看见（b. 周进）跑了，（a. 钱贵）躺在地上，全身是血。

（a. 钱贵）是方新的（a. 朋友）。因为（a. 他家需要很多钱），所以才做盗版[20]赚钱[13]。他说他（a. 对不起方新）。后来[50]，警察[24]在一个小城市找到了（b. 周进）。

这样，再也没有人做盗版[20]"新月中文"了。方新和小月希望他们的公司越来越[6]好。

本书练习由王萍丽编写

为所有中文学习者(包括华裔子弟)编写的
第一套系列化、成规模、原创性的大型分级轻松泛读丛书

"汉语风"(*Chinese Breeze*)分级系列读物简介

"汉语风"(*Chinese Breeze*)是一套大型中文分级泛读系列丛书。这套丛书以"学习者通过轻松、广泛的阅读提高语言的熟练程度,培养语感,增强对中文的兴趣和学习自信心"为基本理念,根据难度分为8个等级,每一级6—8册,共近60册,每册8,000至30,000字。丛书的读者对象为中文水平从初级(大致掌握300个常用词)一直到高级(掌握3,000—4,500个常用词)的大学生和中学生(包括修美国AP课程的学生),以及其他中文学习者。

"汉语风"分级读物在设计和创作上有以下九个主要特点:

一、等级完备,方便选择。精心设计的8个语言等级,能满足不同程度的中文学习者的需要,使他们都能找到适合自己语言水平的读物。8个等级的读物所使用的基本词汇数目如下:

第1级:300 基本词	第5级:1,500 基本词
第2级:500 基本词	第6级:2,100 基本词
第3级:750 基本词	第7级:3,000 基本词
第4级:1,100 基本词	第8级:4,500 基本词

为了选择适合自己的读物,读者可以先看看读物封底的故事介绍,如果能读懂大意,说明有能力读那本读物。如果读不懂,说明那本读物对你太难,应选择低一级的。读懂故事介绍以后,再看一下书后的生词总表,如果大部分生词都认识,说明那本读物对你太容易,应试着阅读更高一级的读物。

二、题材广泛,随意选读。丛书的内容和话题是青少年学生所喜欢的侦探历险、情感恋爱、社会风情、传记写实、科幻恐怖、神话传说等等。学习者可以根据自己的兴趣爱好进行选择,享受阅读的乐趣。

三、词汇实用,反复重现。各等级读物所选用的基础词语是该等级的学习者在中文交际中最需要最常用的。为研制"汉语风"各等级的基础词表,"汉语风"工程首先建立了两个语料库:一个是大规模的当代中文书面

语和口语语料库，一个是以世界上不同地区有代表性的40余套中文教材为基础的教材语言库。然后根据不同的交际语域和使用语体对语料样本进行分层标注，再根据语言学习的基本阶程对语料样本分别进行分层统计和综合统计，最后得出符合不同学习阶程需要的不同的词汇使用度表，以此作为"汉语风"等级词表的基础。此外，"汉语风"等级词表还参考了美国、英国等国和中国大陆、台湾、香港等地所建的10余个当代中文语料库的词语统计结果。以全新的理念和方法研制的"汉语风"分级基础词表，力求既具有较高的交际实用性，也能与学生所用的教材保持高度的相关性。此外，"汉语风"的各级基础词语在读物中都通过不同的语境反复出现，以巩固记忆，促进语言的学习。

四、易读易懂，生词率低。"汉语风"严格控制读物的词汇分布、语法难度、情节开展和文化负荷，使读物易读易懂。在较初级的读物中，生词的密度严格控制在不构成理解障碍的1.5%到2%之间，而且每个生词（本级基础词语之外的词）在一本读物中初次出现的当页用脚注做出简明注释，并在以后每次出现时都用相同的索引序号进行通篇索引，篇末还附有生词总索引，以方便学生查找，帮助理解。

五、作家原创，情节有趣。"汉语风"的故事以原创作品为主，多数读物由专业作家为本套丛书专门创作。各篇读物力求故事新颖有趣，情节符合中文学习者的阅读兴趣。丛书中也包括少量改写的作品，改写也由专业作家进行，改写的原作一般都特点鲜明、故事性强，通过改写降低语言难度，使之适合该等级读者阅读。

六、语言自然，地道有味。读物以真实自然的语言写作，不仅避免了一般中文教材语言的枯燥和"教师腔"，还力求鲜活地道。

七、插图丰富，版式清新。读物在文本中配有丰富的、与情节内容自然融合的插图，既帮助理解，也刺激阅读。读物的版式设计清新大方，富有情趣。

八、练习形式多样，附有习题答案。读物设计了不同形式的练习以促进学习者对读物的多层次理解；所有习题都在书后附有答案，以方便查对，利于学习。

九、配有录音，两种语速选择。各册读物所附的故事录音（MP3格式），有正常语速和慢速两种语速选择，学习者可以通过听的方式轻松学习、享受听故事的愉悦。故事录音可通过扫描封底的二维码获得，也可通过网址http://www.pup.cn/dl/newsmore.cfm?sSnom=d203下载。

ABOUT *Hànyǔ Fēng* (*Chinese Breeze*)

Hànyǔ Fēng (*Chinese Breeze*) is a large and innovative Chinese graded reader series which offers nearly 60 titles of enjoyable stories at eight language levels. It is designed for college and secondary school Chinese language learners from beginning to advanced levels (including AP Chinese students), offering them a new opportunity to read for pleasure and simultaneously developing real fluency, building confidence, and increasing motivation for Chinese learning. *Hànyǔ Fēng* has the following main features:

☆ Eight carefully graded levels increasing from 8,000 to 30,000 characters in length to suit the reading competence of first through fourth-year Chinese students:

Level 1: 300 base words	Level 5: 1,500 base words
Level 2: 500 base words	Level 6: 2,100 base words
Level 3: 750 base words	Level 7: 3,000 base words
Level 4: 1,100 base words	Level 8: 4,500 base words

To check if a reader is at one's reading level, a learner can first try to read the introduction of the story on the back cover. If the introduction is comprehensible, the leaner will be able to understand the story. Otherwise the learner should start from a lower level reader. To check whether a reader is too easy, the learner can skim the Vocabulary (new words) Index at the end of the text. If most of the words on the new word list are familiar to the learner, then she/ he should try a higher level reader.

☆ Wide choice of topics, including detective, adventure, romance, fantasy, science fiction, society, biography, mythology, horror, etc. to meet the diverse interests of both adult and young adult learners.

☆ Careful selection of the most useful vocabulary for real life communication in modern standard Chinese. The base vocabulary used for writing each level was generated from sophisticated computational analyses of very large written and spoken Chinese corpora as well as a language databank of over 40 commonly used or representative Chinese textbooks in different countries.

☆ Controlled distribution of vocabulary and grammar as well as the deployment of story plots and cultural references for easy reading and efficient learning, and highly recycled base words in various contexts at each level to maximize language development.

☆ Easy to understand, low new word density, and convenient new word glosses and indexes. In lower level readers, new word density is strictly limited to 1.5% to 2%. All new words are conveniently glossed with footnotes upon first appearance and also fully indexed throughout the texts as well as at the end of the text.

☆ Mostly original stories providing fresh and exciting material for Chinese learners (and even native Chinese speakers).

☆ Authentic and engaging language crafted by professional writers teamed with pedagogical experts.

☆ Fully illustrated texts with appealing layouts that facilitate understanding and increase enjoyment.

☆ Including a variety of activities to stimulate students' interaction with the text and answer keys to help check for detailed and global understanding.

☆ Audio files in MP3 format with two speed choices (normal and slow) accompanying each title for convenient auditory learning. Scan the QR code on the backcover, or visit the website http://www.pup.cn/dl/newsmore.cfm?sSnom=d203 to download the audio files.

"汉语风"系列读物其他分册
Other *Chinese Breeze* titles

"汉语风"全套共8级近60册,自2007年11月起由北京大学出版社陆续出版。下面是已经出版或近期即将出版的各册书目。请访问北京大学出版社网站(www.pup.cn)关注最新的出版动态。

Hànyǔ Fēng (*Chinese Breeze*) series consists of nearly 60 titles at eight language levels. They have been published in succession since November 2007 by Peking University Press. For most recently released titles, please visit the Peking University Press website at www.pup.cn.

第2级:500词级
Level 2: 500 Word Level

我家的大雁飞走了
Our Geese Have Gone

　　25年前,村里的人们还不知道大雁(yàn: wild goose)是应该保护(bǎohù: protect)的动物(dòngwù: animal)。爷爷最会打雁,打了大雁拿到城里,卖了钱给我上学。

　　可是,有一天,爷爷没有打到雁,因为雁队里有了一只很聪明的头雁(tóuyàn: lead goose)。在头雁带着雁队要飞走的时候,一只鹰(yīng: eagle)飞了过来,飞向一只小雁!

　　鹰太大了,头雁和鹰打了一会儿,伤(shāng: injure)得很重。爷爷帮助头雁,打走了鹰,让头雁住在家里。头雁的女朋友也来找它了。最会打雁的爷爷有了两个大雁朋友……

Twenty-five years ago, people in my village did not know that wild geese should be under protection from hunting. Among the hunters, my grandpa was the best. He brought the geese he shot back to town and sold them to pay for my schooling.

However, grandpa did not shoot one single goose on that day. It was all because of the vigilant lead goose in the flock. But at the moment when the flock was flying away, an eagle came. The eagle was hungry for young geese and pounced on one! The lead goose fought and fought with the eagle. But the eagle was too strong, and the lead goose was injured.

Without hesitation, grandpa repelled the eagle away. He brought the wounded lead goose home and took good care of it. Before long, the lead goose's mate flew over to join him in our home. Grandpa, the best hunter of wild geese, now had two goose friends...

青凤

Green Phoenix

耿(Gěng)家的旧房子很长时间没人住了。不知道为什么,房子的门常常自己开了,又自己关上,看不见有人进去,也没看见有人出来,但是到了晚上,就能听见里面有人说话和唱歌。一天晚上,耿去病(Gěng Qùbìng)看到旧房子的楼上有亮光(liàngguāng: light),他就慢慢地进到房子里,走上楼。他看见那里坐着一个漂亮姑娘,还有她的家人。耿去病很喜欢那个姑娘,他想知道那姑娘是谁,他们从哪里来,为什么住在他家的旧房子里。可是,他怎么也想不到以后出了那些事……

The old house of the Geng family has been uninhabited for years. But recently the doors of the house open and close without anyone going in or out. And at night one can hear people talking and singing inside.

One dark evening, Geng Qubing sees light shining from the attic of the house. He slips into the house, and sees a pretty girl sitting with her family in the attic. Deeply attracted to the girl, Geng Qubing is determined to find out who she is, where her family is from, and why they live in his old house. But what eventually takes place is a shock for him!

如果没有你

If I Didn't Have You

黄小明是个小偷(xiǎotōu: pickpocket)。他很会偷(tōu: steal)东西,但是他只偷很有钱的人,钱少的人他不偷,也不让别的小偷偷他们。大学生夏雨(Xià Yǔ)的钱包被偷走了,他帮助夏雨要了回来;有个小偷偷了一位老奶奶的钱包(qiánbāo: wallet),他把钱包从那个小偷那里偷回来,送回到老奶奶的衣服里……

黄小明爱上了夏雨。有一次,黄小明偷了一个特别有钱的人。可是,这个钱包给他带来了大麻烦! 黄小明不知道应该怎么办,夏雨帮助了他。

可是,小偷黄小明能得到大学生夏雨的爱吗?

Xiaoming is a pickpocket. He is really good at stealing. But he only steals from rich people. He never touches those who are poor, and doesn't let other thieves steal from poor people either.

Xia Yu is a college freshman. She lost her purse at a railway station. Xiaoming got the purse back for her from the thief. Another time, a thief stole an old woman's wallet on a bus. Xiaoming stole the wallet back from the thief and put into the lady's jacket unobserved. More surprisingly, when Xiaoming is falling in love with Xia Yu, he lands into a big trouble after stealing a wallet from a very rich man.

Will Xiaoming the pickpocket win the love of Xia Yu, a pretty college student?

妈妈和儿子
Mother and Son

十几岁的儿子因为不快乐,离开了家,不知道去了哪里。妈妈找了很多地方,都没有找到他。为了等儿子回来,妈妈不出去见朋友,不去饭店吃饭,不出去旅行,不换住的房子,也不改电话号码。她就这样每天在家里等着儿子,等了一年又一年……

后来,儿子想妈妈了,他回来了。可是,家里的妈妈呢?妈妈在哪儿?!

A teenage boy left home because he thought he was unhappy. Nobody knew where he went. His mother was looking for him all around, but she did not find him. To wait for her son's coming back, she never went out with friends, never ate out, and never traveled away. She did not accept a great offer for relocating her home, or even changing her home phone number. She just stayed at home and waited for her son. She waited and waited for years.

One day, the son came back, missing his mother. However, the mother was not at home anymore...

出事以后
After the Accident

一个冬天的晚上,女老师在路上骑着自行车,她要回家,却突然倒(dǎo: fall)在了一辆汽车前面。开车的人马上停车,把女老师送到了附近的医院,给女老师挂号(guà hào: register for seeing a doctor)看病。

"病人叫什么名字?""她怎么了?""你是她的家人吧?"…… 护士有很多问题,可是开车的人什么也不回答,很快就走了。

……

但是,最后女老师还是找到了他。

One winter night, a teacher was on her way home. Suddenly she fell down from her bicycle in front of a car. The driver stopped his car right away and brought the teacher to a hospital nearby.

"The patient's name, please?" "What's the problem?" "Are you her relative?"... The nurse asked quite a few questions. But the driver answered nothing. He then quickly disappeared.

...

In the end, however, the teacher still saw the driver.

一张旧画儿
An Old Painting

旧画儿商店的老爷爷又一次把那张旧画儿拿起来,从上看到下,从左看到右,再慢慢拿高一点儿,好好儿地又看了几分钟。看着看着,他的眼睛一点儿一点儿地变大了。他看着站在边上的傻小,一个收破烂的孩子:"孩子,我给你钱! 给你很多很多的钱,够你家的人用一百年——你把画儿卖给我!"

可是,傻小说:"对不起,老爷爷,这画儿我不能卖……"

In the art dealer's shop, the old gentleman picked up the old painting once again. He looked it up and down, left and right. He held it up, contemplating it for a few minutes. His eyes opened wider and wider. Finally, he turned to Shaxiao, the Little Silly, a rag boy who stood nearby, and said: "Sell this painting to me. I'll pay a lot of money, enough for your family to live on for a hundred years!"

Surprisingly, Shaxiao replied, "Sir, I'm sorry. But I can't sell it to you..."

第3级: 750词级
Level 3: 750 Word Level

第三只眼睛
The Third Eye

画皮
The Painted Skin

留在中国的月亮石雕
The Moon Sculpture Left Behind

朋友
Friends

第4级: 1,100词级
Level 4: 1,100 Word Level

好狗维克
Vick the Good Dog

两件红衬衫
Two Red Shirts